Ecoute, Ecoute

Listen, Listen

written by Phillis Gershator
illustrated by Alison Jay

French translation by Annie Arnold

Ecoute, écoute … quel est ce bruit ? Des insectes chantant à l’unisson !

Listen, listen ... what's that sound? Insects singing all around!

Cui, cui, couac, couac, zzz, zzz, wizz, wizz.

Chirp, chirp, churr, churr, buzz, buzz, whirr, whirr.

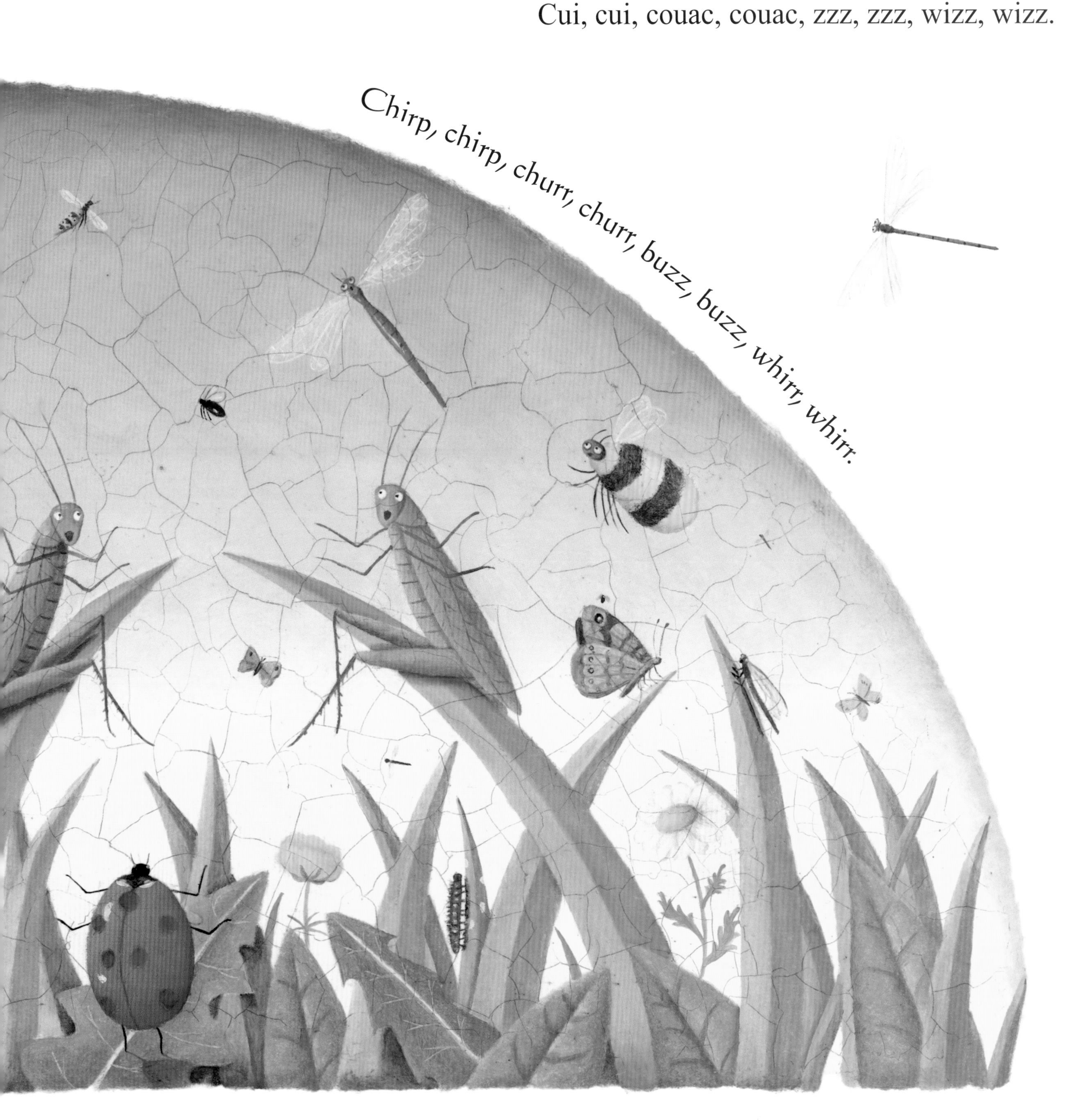

Les feuilles bruissent, les hamacs se balancent. Plouf, plaf, les enfants jouent.

Leaves rustle, hammocks sway. Splish, splash, children play.

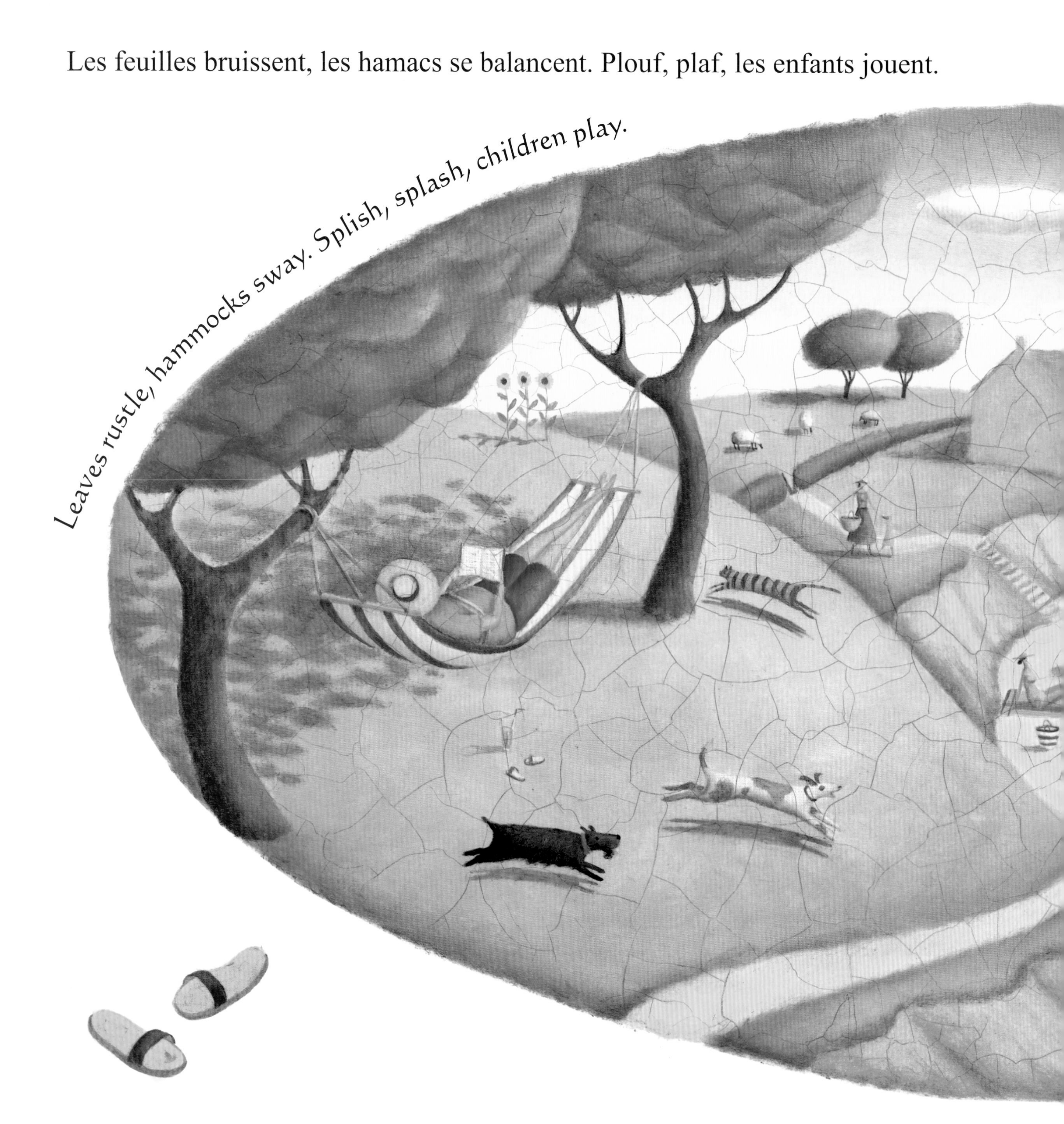

Les nuages dérivent, les chiens courent. Grésille, le soleil d’été grésille.

Clouds drift, dogs run. Sizzle, sizzle, summer sun.

Ecoute, écoute … l'été s'en est allé. Au revoir les insectes, l'automne est arrivé.

Listen, listen ... summer's gone.
Good-bye insects, autumn's come.

Ploc, ploc, les glands tombent. Vite, sauve qui peut, les écureuils sautent.

Plop, plop, acorns drop.
Hurry, scurry, squirrels hop.

Les citrouilles mûrissent, vite, vite. Les pommes, le grain - cueille, cueille.

Pumpkins ripen, quick, quick. Apples, corn - pick, pick.

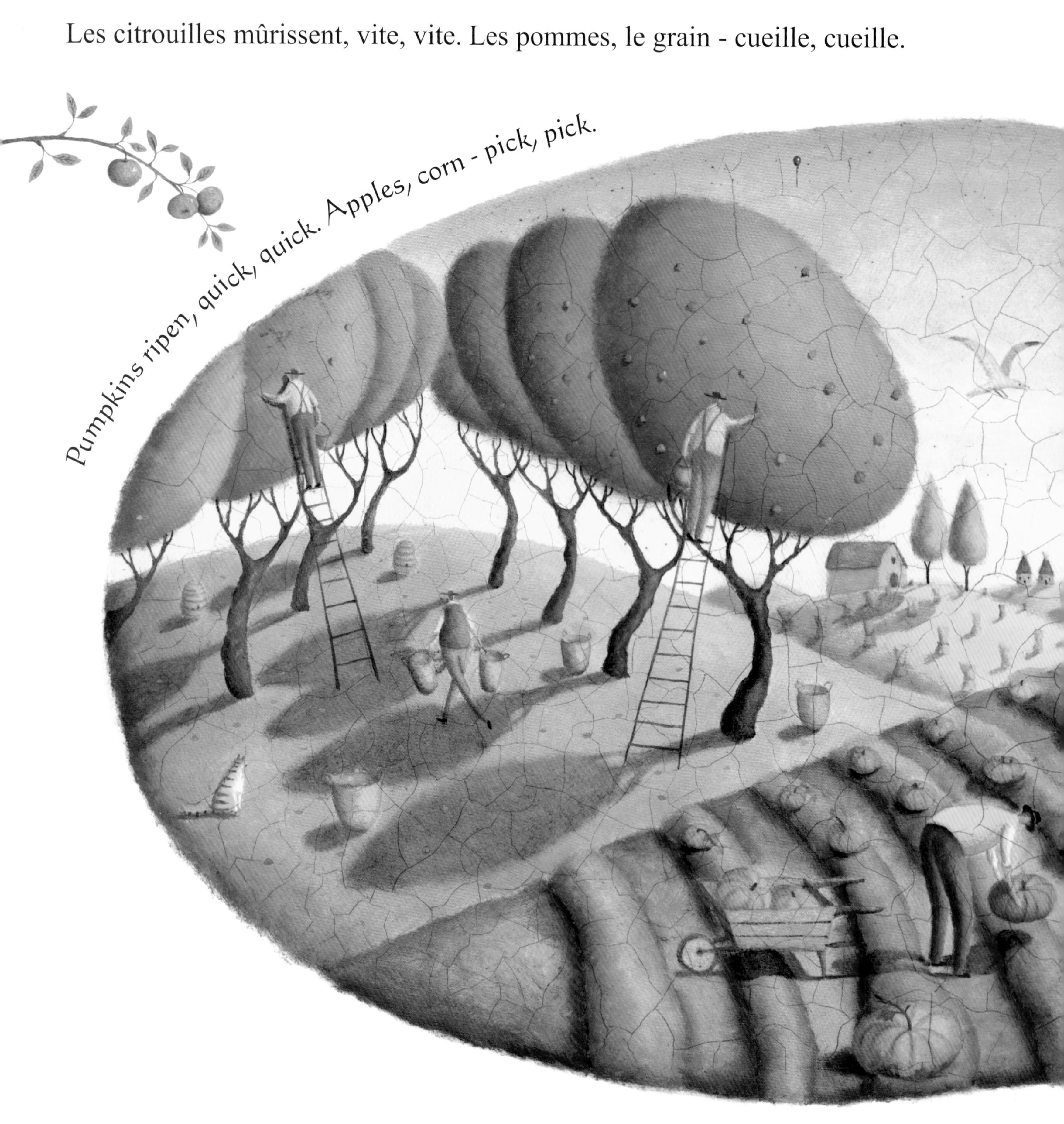

Crack, crack, les gens marchent. Crouak, crouak, les mouettes gloussent.

Crunch, crunch, people walk. Aak, aak, seagulls squawk.

Coin, coin, les oies appellent. Frou, frou, les feuilles tombent.

Honk, honk, geese call. Swish, swish, leaves fall.

Zoum, zoum, les chapeaux volent. Ouh, ouh, les hiboux crient.

Whoosh, whoosh, hats fly. Whoo, whoo, owls cry.

Ecoute, écoute … l'automne est parti. Les flocons de neige murmurent, « l'hiver est amusant. »

Chut, chut, nuit enneigée. La neige étincelle, blanche, brillante.

Crisse, crisse, les bottes martèlent.
Les adultes ramassent à la pelle, les enfants s'ébattent.

Crunch, crunch, boots clomp. Grown-ups shovel, children romp.

Les patineurs tournent, les skieurs glissent. Zip, zoum, glisse, dérape.

Skaters spin, skiers glide. Zip, zoom, slip, slide.

Brr, brr, réchauffons-nous. Oh ! Ah, les bougies brillent.

Brrr, brrr, warm-up time. Ooh, aah, candles shine.

Ron, ron, les chats regardent fixement. Crac, crac, les feux flambent.

Purr, purr, cats gaze. Crackle, crackle, fires blaze.

Ecoute, écoute … l'hiver est parti. Les pinsons sifflent, « Voici le soleil ! »

Listen, listen ... winter's gone. Finches whistle, "Here's the sun!"

Pan, pan, les oignons sortent. Les feuilles poussent, les fleurs éclosent.

Pop, pop, bulbs sprout. Leaves grow, flowers shout.

Cric, crac, les bébés naissent. Pip, pip, les poules grattent.

Crick, crack, babies hatch. Peep, peep, chickens scratch.

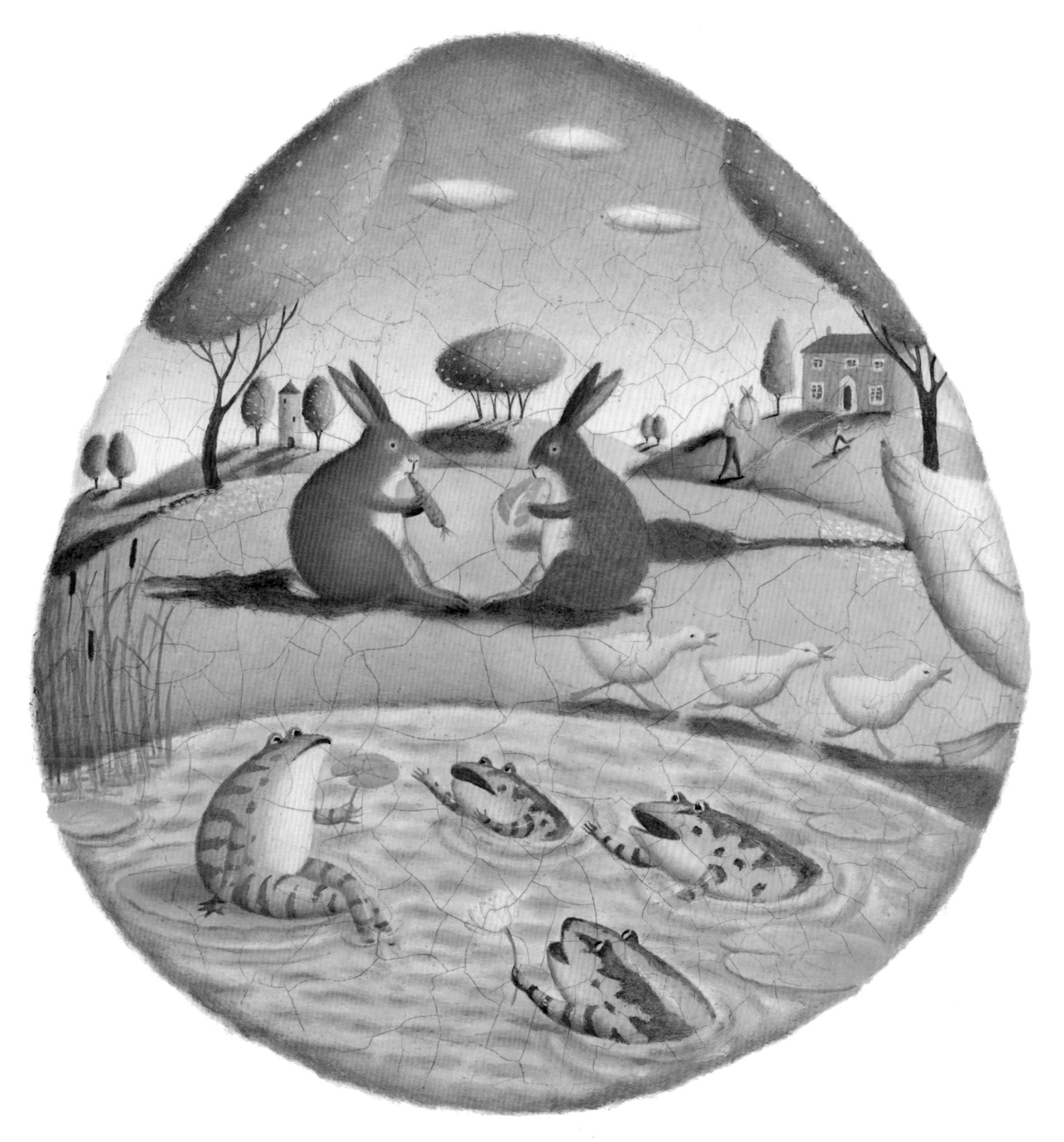

Les grenouilles croassent, les canetons font coin, coin. Croc, crac, les lapins mangent.

Frogs croak, ducklings quack. Munch, munch, rabbits snack.

Les pluies tombent, flac, floc. Les moineaux se rassemblent, cui, cui.

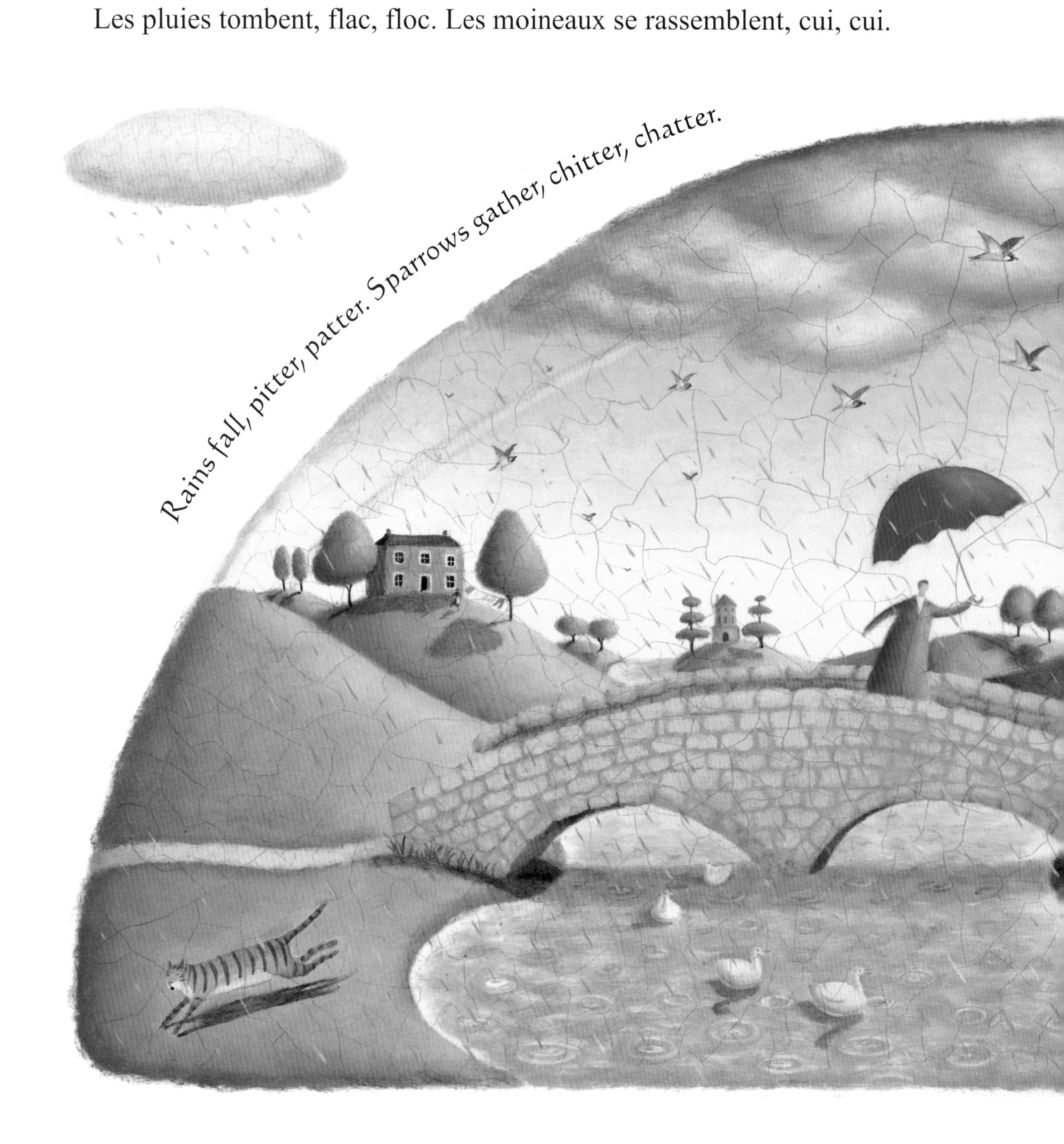

Rains fall, pitter, patter. Sparrows gather, chitter, chatter.

Ecoute, écoute … le printemps s’en est allé. Une autre saison a commencé.

En l'air, par terre, nuit et jour quel est ce bruit ?

In the air, on the ground, night and day - what's that sound?

Ecoute, écoute … après le printemps, l'été vient et …

Listen, listen … after spring, summer comes and …

Les insectes chantent !

Insects sing!

Cui, cui, couac, couac, zzz, zzz, wizz, wizz.

Chirp, chirp, churr, churr, buzz, buzz, whirr, whirr.

In the summer, can you see

a cricket

a butterfly

a mosquito

a bee

a dragonfly

a grasshopper

a beetle

a sunflower

a daisy

a leaf?

In the autumn, can you see

an owl

a goose

an acorn

an apple

a squirrel

a stalk of wheat

a pumpkin

an ear of corn

a seagull

a leaf?

In the winter, can you see

a crow

a mouse

a starling

a paw print

a holly berry

an icicle

a snowflake

a leaf?

a sprig of mistletoe

In the spring, can you see
tulip
a daffodil
a bluebell
a sparrow
a rainbow
a rabbit
a frog
a duckling
a chick
a leaf?

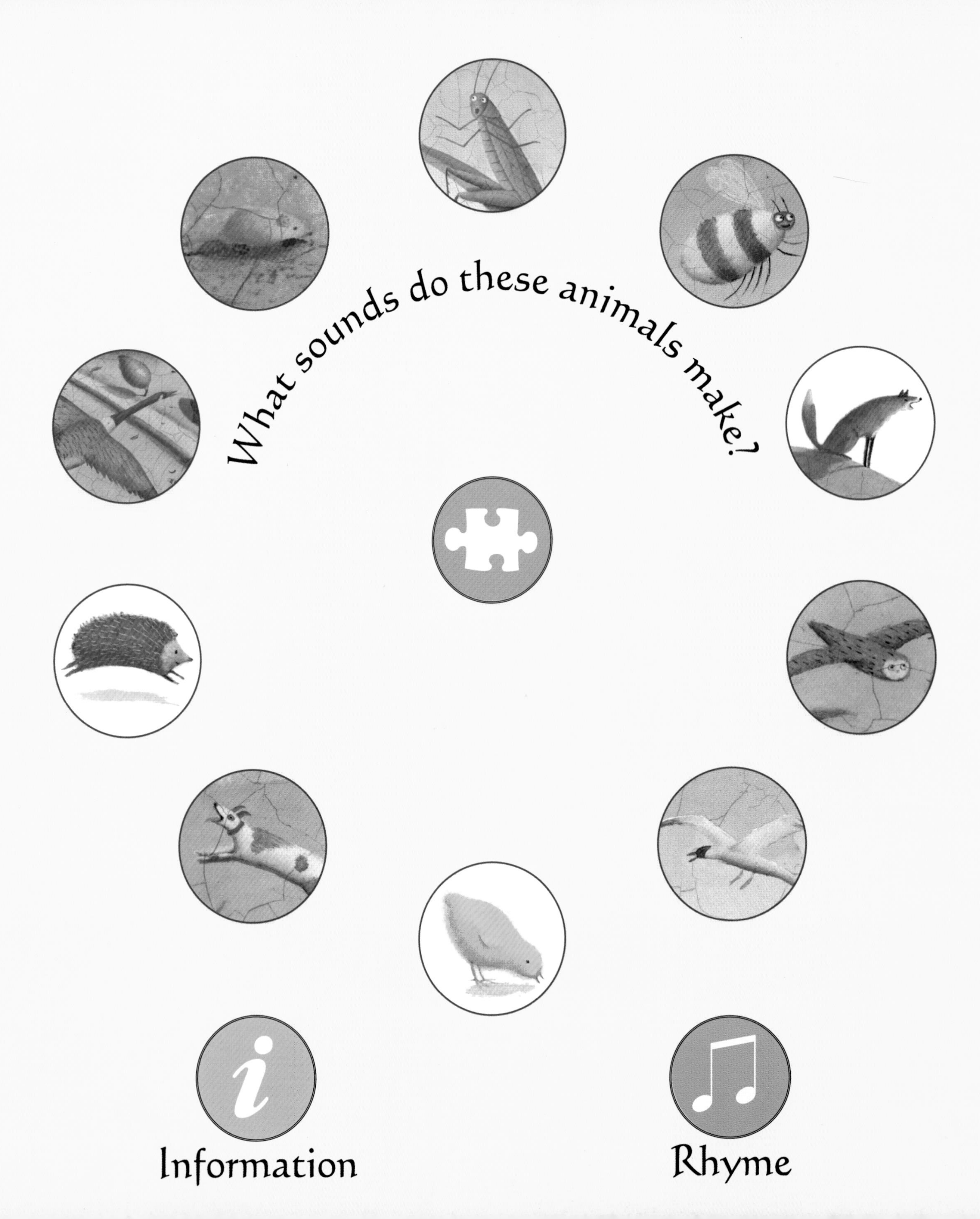
What sounds do these animals make?
Information
Rhyme